書き込み式

新 いいこと日記

2024年版

中山庸子

new iikoto diary 2024

原書房

はじめに

「いいこと日記」とは……〈いいこと〉をメインに書く日記！
そして書いているうちに、どんどん〈いいこと〉が増えていく日記です。
気軽につけられて、あなたの毎日がもっと楽しくなる
「いいこと日記」には５つの大きな特徴があります。

1

〈いいこと〉をメインに書くので、
明るく前向きな気持ちになれる。

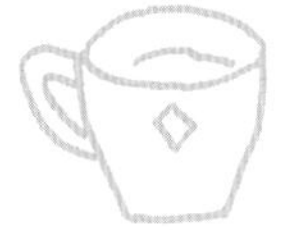

2

〈いいこと〉を見つけるのが上手になり、
ますます〈いいこと〉が増える。

3

日記の中に〈いいこと〉が並んでいて、
読み返すたびに幸せになれる。

4

うまくいかなかった日も、書いているうちに
気持ちの整理ができ、
見逃していた〈いいこと〉が見つかる。

「いいこと日記」は〈なりたい自分〉や
〈夢実現〉に大いに役立つ。

４、５ページでは、カラーで「こんなつけ方できます」という
サンプルを用意しました。また今回は６～８ページに、
「各月のいいことギャラリー」を設けてあります。
他にも日記部分だけでなく、
たくさんの〈いいこと〉関連のページが用意されています。
「いいこと日記」の著者はあなた！　そして愛読者もあなた！
自分らしく楽しく、さあ始めましょう！

まずは、基本ページをご紹介

フリースペース

月初めや月終わりのページにある点線に囲まれたスペース。思いついた〈いいこと〉をメモしたり、フリースペースとして活用してみて！

グリッドページ

日記ページの右側は使いやすい格子状になっています。切り抜きも貼りやすいし、図やグラフ、表なども上手に描けてとっても便利！

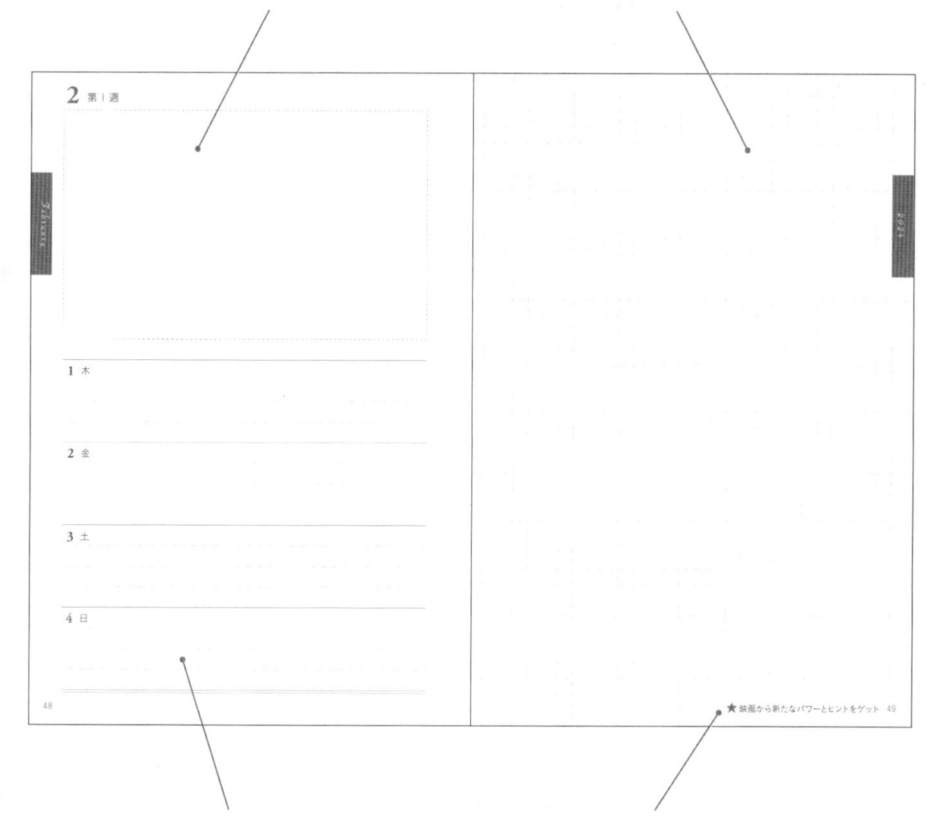

日記ページ

1日分の日記スペースです。目安として4行になっていますが、使い方は自由。その日の〈いいこと〉を自分らしく記してみましょう！

今週のひとこと

〈いいこと〉を呼びやすくする今週のひとことがあります。★ はご利益ゲット、♥ は生活の知恵、♥ は心の持ち方のジャンル分けがされています。

こんなつけ方できます

1日分が4行なので、〈いいこと〉ベスト3などのランキングにピッタリ！

文章形式にしてもこのくらいのスペースなら気軽です

食事とその日の体重を記入すればダイエット日記にも

チェックボックスでやる気が増す

その日の着こなしを簡単なイラストにしておくと、後で役立ちます

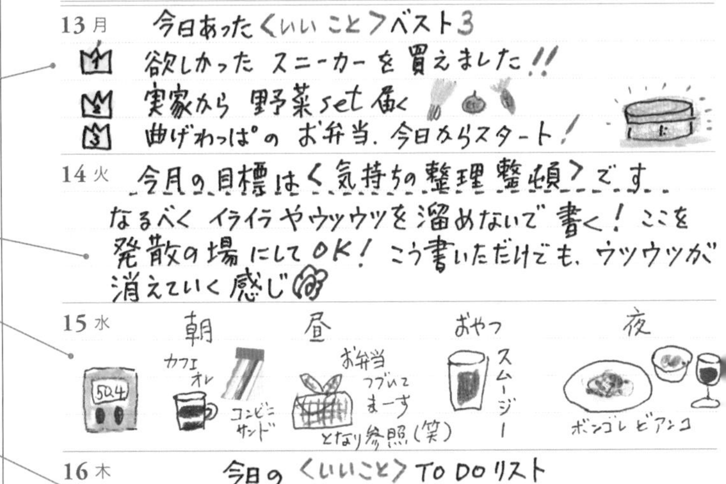

1日のテーマを決めるとつけやすいです

矢印とイラストの組み合わせでも楽しい

1日ごとに、つけ方のサンプルを7パターン用意しました。
参考にしてみてください！

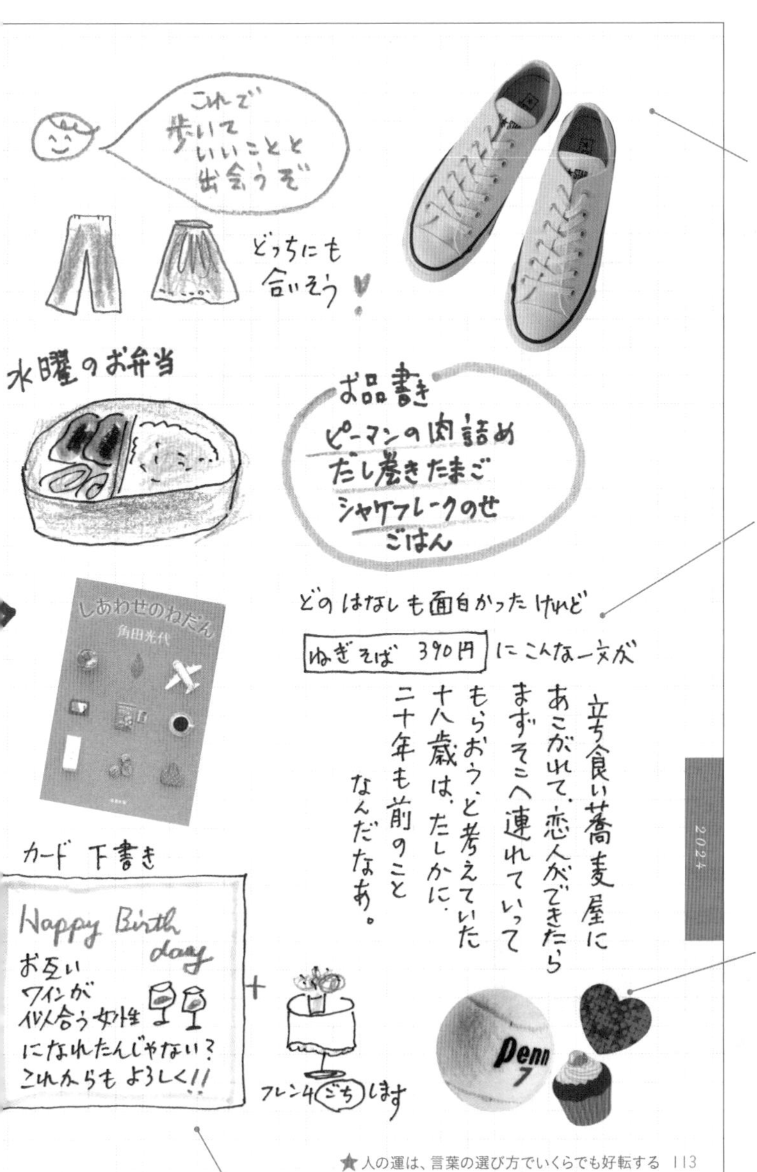

グリッドページは基本的に何でもアリ！　気が向いた時にビジュアル重視で楽しく作ってみましょう

気に入った文章を書き抜いておくのもオススメです

実物のシールを貼って、テンションUP！

カードを送ってしまっても、ここに記録が残ります

各月のいいことギャラリー

1月

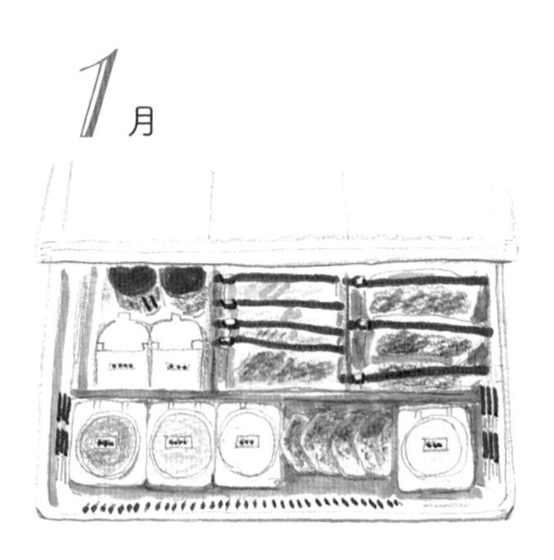

一目瞭然冷蔵庫

今年は、開けるたびに気分がよくなる冷蔵庫収納を心掛けたい。おいしいは勿論、食品ロス解消にもなりそう。

2月

ゆるめストレッチ

お肌を整えるナイトルーティンのしめくくりが、寝る前のストレッチです。無理なく続けられるゆるめの設定で。

3月

額たち集合

胸キュン・コーナーの話は扉エッセイを読んでいただくことにして、まずはあちこちの額を一か所に整えます。

4月

バッグ内も綺麗に

お気に入りのバッグの中がゴチャゴチャじゃちょっと残念。見た目も綺麗で慌てず行動できるなら最高です。

2024年は、自分らしい生活スタイルを整える1年にしましょう。
このコーナーでは、各月の扉エッセイでお話しする「整え」に
役立つことまちがいなし！のアイデアをイラストでご紹介します。

月

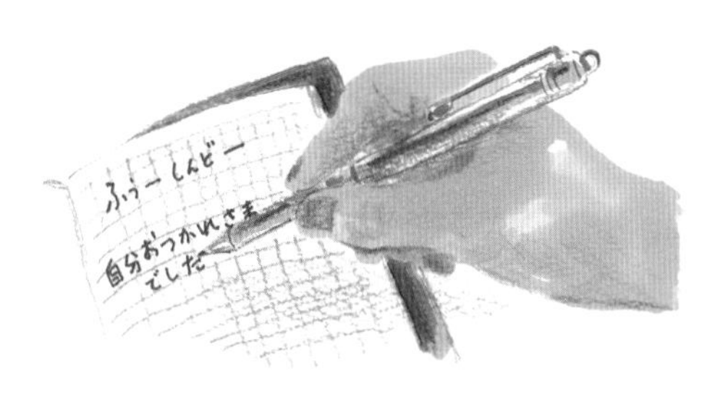

気持ちを言葉に

いいこと日記は、気持ちの整理整頓の役割を果たします。弱気ワードも後の自分がフォローしてくれるから。

6月

小さな庭仕事

ささやかな自然に触れる朝仕事は、とても幸せなひととき。緑と共に心にも水やりできる幸せ時間です。

7月

2泊目の朝食

正方形のトレーを見た瞬間、パッと和朝食のイメージが湧きました。1泊目？その件は本編をご覧ください。

8月

リズミカル拭き掃除

リビングに置いたタブレットから流れるお気に入りの曲に合わせて拭き掃除。洗剤の香りもお気に入りです。

各月のいいことギャラリー

9月

夢クローゼット

こんなクローゼットに憧れるな、という方が無理ですよね。まずは今できる衣類の整えから始めましょうか。

10月

懐かしの一冊

この物語みたいな展開を期待した少女時代がありました。大人になった今、当時の私がもうひとりのロッテ？

11月

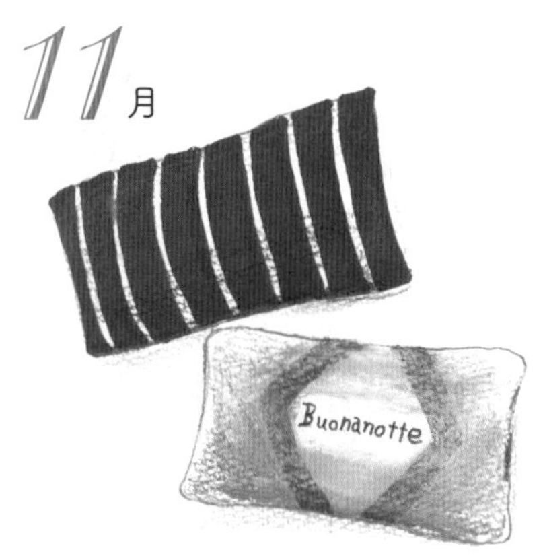

毎晩のお供に

旅行で枕が変わると眠れない……というくらい、自分の枕は大事なもの。おしゃれカバーでより素敵なお供に。

12月

スープの仕込み

年の瀬に幸せな気持ちでスープに入れる野菜を刻めたら、今年はいい年だった証拠。トントントンはご褒美です。

contents

目次

〈いいこと〉を生み出し活用するための

いいこと法則 10

1 肝心なのは事実より解釈

2 自己新はいつでも出せる

3 〈グチりたい自分〉に対処する

4 ささやかな〈いいこと〉はかさ増ししよう

5 〈いいこと〉変換装置を持つ

6 すぐにできる〈いいこと〉リストを作る

7 忘れていいことと忘れたくないことを区別

8 あたりまえこそが〈いいこと〉

9 自分の字で書く習慣をつける

10 〈いいこと〉に年齢制限はない

my data

わたしのデータ

氏名		生年月日	
住所			
電話		FAX	
携帯		E-Mail	
身長	体重	血液型	星座
家族		仕事	
趣味			
得意わざ			
好きな本		憧れの人	
好きな時間			
好きな言葉			

2024

	1 Jan.	2 Feb.	3 Mar.	4 Apr.	5 May	6 Jun.
1	月	木	金	月	水	土
2	火	金	土	火	木	日
3	水	土	日	水	金	月
4	木	日	月	木	土	火
5	金	月	火	金	日	水
6	土	火	水	土	月	木
7	日	水	木	日	火	金
8	月	木	金	月	水	土
9	火	金	土	火	木	日
10	水	土	日	水	金	月
11	木	日	月	木	土	火
12	金	月	火	金	日	水
13	土	火	水	土	月	木
14	日	水	木	日	火	金
15	月	木	金	月	水	土
16	火	金	土	火	木	日
17	水	土	日	水	金	月
18	木	日	月	木	土	火
19	金	月	火	金	日	水
20	土	火	水	土	月	木
21	日	水	木	日	火	金
22	月	木	金	月	水	土
23	火	金	土	火	木	日
24	水	土	日	水	金	月
25	木	日	月	木	土	火
26	金	月	火	金	日	水
27	土	火	水	土	月	木
28	日	水	木	日	火	金
29	月	木	金	月	水	土
30	火		土	火	木	日
31	水		日		金	

	7 Jul.	8 Aug.	9 Sep.	10 Oct.	11 Nov.	12 Dec.
1	月	木	日	火	金	日
2	火	金	月	水	土	月
3	水	土	火	木	日	火
4	木	日	水	金	月	水
5	金	月	木	土	火	木
6	土	火	金	日	水	金
7	日	水	土	月	木	土
8	月	木	日	火	金	日
9	火	金	月	水	土	月
10	水	土	火	木	日	火
11	木	日	水	金	月	水
12	金	月	木	土	火	木
13	土	火	金	日	水	金
14	日	水	土	月	木	土
15	月	木	日	火	金	日
16	火	金	月	水	土	月
17	水	土	火	木	日	火
18	木	日	水	金	月	水
19	金	月	木	土	火	木
20	土	火	金	日	水	金
21	日	水	土	月	木	土
22	月	木	日	火	金	日
23	火	金	月	水	土	月
24	水	土	火	木	日	火
25	木	日	水	金	月	水
26	金	月	木	土	火	木
27	土	火	金	日	水	金
28	日	水	土	月	木	土
29	月	木	日	火	金	日
30	火	金	月	水	土	月
31	水	土		木		火

2024年
100の夢ノート

「いいこと日記」をつけるのと並行して、
ぜひ記しておきたい夢ノート。
大きい夢から小さい夢まで、
今年やりたいことを100個書き出していきましょう。
かなったらシールかマークをつけましょう！

〈いいこと〉をたくさん呼び寄せるために欠かせないのが、
〈夢〉の存在です。
誰でも、夢や願望がかなえば嬉しいし、自分に自信がつきます。
しかし、意外に〈自分の夢〉がなんであるかよくわからない場合も多く、
かつての私も〈自分の夢〉をちゃんと把握できずに
漠然と暮らしていたうちのひとりでした。
そこで、書き込み式「いいこと日記」には
「これが欲しい、こんなことをしてみたい」という〈かなえたい夢〉を
書き出せる「夢ノート」のコーナーを設けることにしました。
大きな夢、小さな夢、立派な夢、ささやかな夢……いろいろありますが、
どれも自分にとっては大切な夢なので、
区別せずに思いついたらすぐに書き出すようにしたいのです。
夢は100個くらいあったほうが、毎日が楽しいというのが私の持論。
夢がたくさんあれば、当然かなう数も多いし、
かなった時に〈いいこと〉として書けるからです。

夢ノート、書き方のコツ

例えば……

- 健康で心地よく暮らす
- ３キロ、ダイエットする
- 楽しく節約上手になる
- 周りの人を明るくできる人
- まったり温泉旅行
- テラスでハーブを育てる
- お手紙上手になる　etc……

▶

大きい夢、小さい夢。

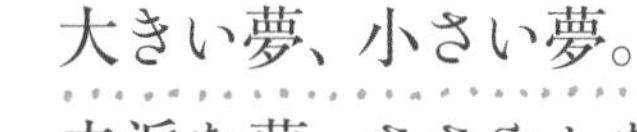

立派な夢、ささやかな夢。

具体的な夢、漠然とした夢。

なんでもＯＫ！
思いついた順に書いていきましょう。

	1
	2
	3
	4
	5
	6
	7
	8
	9
	10

	11
	12
	13
	14
	15
	16
	17
	18
	19
	20
	21
	22
	23
	24
	25

	26
	27
	28
	29
	30
	31
	32
	33
	34
	35
	36
	37
	38
	39
	40

	41
	42
	43
	44
	45
	46
	47
	48
	49
	50
	51
	52
	53
	54
	55

	56
	57
	58
	59
	60
	61
	62
	63
	64
	65
	66
	67
	68
	69
	70

	71
	72
	73
	74
	75
	76
	77
	78
	79
	80
	81
	82
	83
	84
	85

	86	
	87	
	88	
	89	
	90	
	91	
	92	
	93	
	94	
	95	
	96	
	97	
	98	
	99	
	100	「いいこと日記」をめでたく完成させる。

まずは食生活を整える

冷蔵庫の管理はオッケー?

清々しい気持ちで新しい年を迎えていつも感じるのは、この「整った気持ちよさ」がどうして持続しないの？ということ。

確かに、昔ほどじゃないにしても、師走はいつもより念入りに掃除や片付けもしたし、新年に食べるものも重箱や冷蔵庫の中で、お行儀よく整列しています。

それが、知り合いに会っても挨拶が「あけましておめでとう」じゃなくて、「あっ、どうも」になる頃には、整然としていたはずの冷蔵庫の中も「あっ、これまだ残ってた」状態に。

ここ、肝心。この機を逃さずもう一回冷蔵庫の中身をきちんと自分の管理下に置けば、何を使うべきか、何が足りないか「一目瞭然」の清々しさを復活できそう。

そう、今年こそは「整う」生活をして、ものやことを「一目瞭然」にして、快適で「いいこと」が見つかりやすい日々を続けていきたいです。

というわけで、まずはまだカオス化には至っていない冷蔵庫の中身をチェックして、日々の食生活を整えることにします。

発見した木綿豆腐１パックに少々残った長ネギで湯豆腐、冷凍したけど忘れていた鯛のアラはしなびかけのゴボウと共にみりんと醤油で煮ます。今年は「いいこと日記」に「整った食生活」を記していく習慣を、是非つけたいと思っています。

January

1

Weekly to do	月 Monday	火 Tuesday	水 Wednesday
	1 赤口 元日	2 先勝	3 友引
	8 先勝 成人の日	9 友引	10 先負
	15 仏滅	16 大安	17 赤口
	22 大安	23 赤口	24 先勝
	29 赤口	30 先勝	31 友引

木 Thursday	金 Friday	土 Saturday	日 Sunday
4 先負	5 仏滅	6 大安	7 赤口
11 赤口	12 先勝	13 友引	14 先負
18 先勝	19 友引	20 先負	21 仏滅
25 友引	26 先負	27 仏滅	28 大安

1月にしたいこと

欲しいもの、したいこと、行きたいところ。
月の初めに記しておきましょう。
そして月の終わりに、
できたかどうかを□にチェックしましょう。

自分との約束

□

暮らし

□
□
□

本

□
□
□

健康

□
□
□

映画・音楽・テレビ

□
□
□

もの

□
□
□

お店

□
□
□

イベント・旅

□
□
□

□
□
□

お礼・贈り物

□ ▶
□ ▶

□ ▶
□ ▶

時候のあいさつ

1月(睦月)の書き出しで「新春」という言葉は、
松の内(一般的には7日)までの使用が望ましいとされています。
以降は「寒中お見舞い」のあいさつになります。

	上旬					下旬
書き出し	新春を寿ぎ、謹んでお祝い申し上げます	皆様おそろいでよい年をお迎えのことと存じます	初春にふさわしい穏やかな日が続いております	松の内のにぎわいも過ぎ、日々の暮らしが戻ってまいりました	いよいよ寒さも本番となりました	例年にない厳しい寒さが続いております
結び	新たな年のご多幸をお祈りいたしております	今年もご一家にとって幸多き年になりますよう、お祈り申し上げます	今年も変わらぬお付き合いをお願いいたします	本年もよろしくご指導のほどお願い申し上げます	寒さ厳しき折、くれぐれもご自愛ください	春の到来を待ちながら、まずはごあいさつまで

1 第 1 週

1 月 元日

2 火

3 水

4 木

5 金

6 土

7 日

1 第2週

8 月 成人の日

9 火

10 水

11 木

12 金

13 土

14 日

1 第3週

15 月

16 火

17 水

18 木

19 金

20 土

21 日

1 第 4 週

22 月

23 火

24 水

25 木

26 金

27 土

28 日

1 第 5 週

29 月

30 火

31 水

January

1月にできたこと

月の終わりに、今月あったいいことを、忘れないよう書いておきましょう。
時間をおいて読んでみたら、心がほっこりします。

感動した映画・本など

すてきな言葉

うっとりしたこと

感謝してること

おいしかったもの

笑ったこと

今月の私のここがエライ！

1月のおまけページ

お肌を整える

入浴・保湿・睡眠ルーティン

暖房が欠かせないこの時期、暖かい部屋で過ごせるのはありがたいけれど、乾燥がねー。そうでなくても、最新のメイク事情より、スキンケアのノウハウに関心が移ってからかなりの時が経ちました。

とにかく保湿！と思って、こまめにしっとり系の化粧水をシュッとやるようにしているけれど、どうもそれだけじゃカサカサ回避に追いつけないのが現状です。

さて、私より少しお姉さんのある知り合い女性、とにかくお

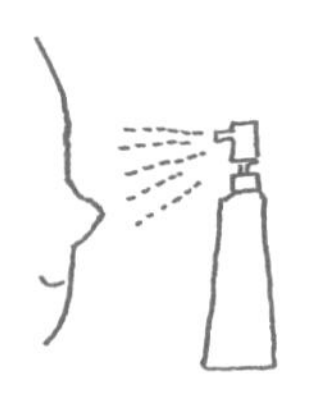

肌も髪もツヤツヤしていてうらやましい。そこで秘訣を聞いてみたら「保湿液だけじゃダメよ。お風呂に入ってから、寝るまでのルーティンをちゃんと整えることが大切」。

お肌を「整える」コツ、いただきました！

別に高級ブランドのコスメじゃなくてもいいから、入浴後に素早く化粧水や乳液、ボディクリーム、ヘアオイルなどで全身をくまなくケア。彼女は、その際に「内側からも保湿ね」ということで、温かいミルクを飲むそう。

その後は、軽くマッサージやストレッチ。

で、何より大切なのは「そこから無駄な夜更かししないこと」。なるほどねー、やっぱりお肌ツヤツヤは一日にしてならずかぁ。

でも、大変参考になりました！

February

Weekly to do	月 Monday	火 Tuesday	水 Wednesday
	5 先勝	6 友引	7 先負
	12 先負 振替休日	13 仏滅	14 大安 バレンタインデー
	19 仏滅	20 大安	21 赤口
	26 大安	27 赤口	28 先勝

木 Thursday	金 Friday	土 Saturday	日 Sunday
1 先負	2 仏滅	3 大安 節分	4 赤口
8 仏滅	9 大安	10 先勝	11 友引 建国記念の日
15 赤口	16 先勝	17 友引	18 先負
22 先勝	23 友引 天皇誕生日	24 先負	25 仏滅
29 友引			

2月にしたいこと

欲しいもの、したいこと、行きたいところ。
月の初めに記しておきましょう。
そして月の終わりに、
できたかどうかを□にチェックしましょう。

自分との約束

□

February

暮らし

□
□
□

本

□
□
□

健康

□
□
□

映画・音楽・テレビ

□
□
□

もの

□
□
□

お店

□
□
□

イベント・旅

□
□
□

□
□
□

お礼・贈り物

□ ▶
□ ▶
□ ▶
□ ▶

時候のあいさつ

2月(如月)は、季節的には冬とされる最後の月です。
しかし暦のうえでは立春(4日)を迎えるので、
次第に春を感じさせるあいさつが主流になっていきます。

上旬 ⟷ 下旬

	書き出し	結び
上旬	今年は例年にない大雪とのことですが、いかがお過ごしでしょうか	まだ寒さが続きますが、くれぐれもご自愛ください
	子供たちの豆まきの声に、一足早い春を感じる今日この頃です	季節の変わり目ですので、いっそうご自愛ください
	立春とは名ばかりの、厳しい寒さが続いております	余寒厳しき折、どうぞお体にお気をつけください
	寒さの中にも春の足音が聞こえてくるようです	三寒四温の時節柄、健康には十分ご留意ください
	梅のつぼみがほころぶ季節となりました	春ももう間近です。暖かくなったらこちらへもお出かけください
下旬	木々に注ぐ日の光もようやく春めいてまいりました	春はもうすぐそこまで来ています。楽しみに待ちましょう

1 木

2 金

3 土

4 日

2024

2 第 2 週

5 月

6 火

7 水

8 木

9 金

10 土

11 日 建国記念の日

February

2 第 3 週

12 月 振替休日

13 火

14 水

15 木

16 金

17 土

18 日

February

2 第4週

19 月

20 火

21 水

22 木

23 金 天皇誕生日

24 土

25 日

February

2 第5週

26 月

27 火

28 水

29 木

February

2024

2月にできたこと

月の終わりに、今月あったいいことを、忘れないよう書いておきましょう。
時間をおいて読んでみたら、心がほっこりします。

感動した映画・本など

すてきな言葉

うっとりしたこと

感謝してること

おいしかったもの

笑ったこと

今月の私のここがエライ！

2月のおまけページ

「思い出」を整える

胸キュン・コーナーに飾りたいもの

　ミニマルで持たない暮らしに憧れることもあるけれど、私個人はあまり捨てず、かつ「整った」空間に身を置きたい派です。このところ体調イマイチの日が続き、外出するより家の中にいる時間が増えて、部屋の景色を見ることにすっかり飽きてしまいました。もちろん、この際ものを減らすとか、家具を移動させて模様替えする手もあり。ただし、そういう選択は元気な時じゃないと難しいですよね。
　いつも見ている壁の汚れや傷が目についたある日、せめてこ

こに気分が明るくなる写真やポストカードなどを飾ったらどう？と思い立ちました。そのくらいなら、大変じゃないし……。

で、どんな写真なら楽しい気持ちになるか想像したら、やっぱり「旅だよね」という感じ。懐かしい旅の写真から「今回はパリで」と決めて、ポストカードと共に額に入れて飾ってみました。ついでにその時に買ったお土産も集めてきて、下の棚に並べたら、胸がキュンとするほど懐かしいコーナー完成！

カフェや公園のスナップ、自分へのお土産に買ったミニチュアのエッフェル塔や文房具たちだとしても、私にとっては素敵な「思い出」が見事に一か所に整った瞬間でした。

この胸キュン・コーナーは期間を決めて展示替えすることにしたら、何だか体調もいい感じ。次は京都編？うん、決まり！

Weekly to do	月 Monday	火 Tuesday	水 Wednesday
	4 赤口	5 先勝	6 友引
	11 先負	12 仏滅	13 大安
	18 仏滅	19 大安	20 赤口 春分の日
	25 大安	26 赤口	27 先勝

March

木 Thursday	金 Friday	土 Saturday	日 Sunday
	1 先負	2 仏滅	3 大安 ひなまつり
7 先負	8 仏滅	9 大安	10 友引
14 赤口 ホワイトデー	15 先勝	16 友引	17 先負
21 先勝	22 友引	23 先負	24 仏滅
28 友引	29 先負	30 仏滅	31 大安

2024

3月にしたいこと

欲しいもの、したいこと、行きたいところ。
月の初めに記しておきましょう。
そして月の終わりに、
できたかどうかを□にチェックしましょう。

自分との約束

□

暮らし

□
□
□

本

□
□
□

健康

□
□
□

映画・音楽・テレビ

□
□
□

もの

□
□
□

お店

□
□
□

イベント・旅

□
□
□

□
□
□

お礼・贈り物

□ ▶
□ ▶
□ ▶
□ ▶

March

時候のあいさつ

3月(弥生)は春の訪れの時。ひなまつりを始め行事も多く、あいさつも華やいだものにできます。便箋やカード、切手なども春らしい色や図柄を選びたいものです。

上旬 ←→ 下旬

	書き出し	結び
上旬	ひなまつりが近づき、心が華やぐ季節になりました	まだ肌寒い日がございます。どうかお体を大切になさってください
	桃の節句も過ぎ、いよいよ春めいてきました	春の訪れとともに、皆様の上にも幸せが訪れますようお祈りしております
	春らしいうららかな日和が続いております	春陽のもと、どうか健やかにお過ごしください
	野山は若草色に染まり、命の息吹が感じられます	新天地でのさらなる飛躍を、心よりお祈り申し上げます
	ひと雨ごとに暖かさが増す今日この頃です	何かと慌ただしい時期ですが、お元気でお過ごしください
下旬	桜前線北上のニュースに、今からお花見が待たれます	新年度を迎えましても、変わらずよろしくお願いいたします

3 第1週

March

1 金

2 土

3 日

3 第 2 週

4 月

5 火

6 水

7 木

8 金

9 土

10 日

March

3 第3週

11 月

12 火

13 水

14 木

15 金

16 土

17 日

March

2024

3 第 4 週

18 月

19 火

20 水 春分の日

21 木

22 金

23 土

24 日

3 第5週

25 月

26 火

27 水

28 木

29 金

30 土

31 日

March

3月にできたこと

月の終わりに、今月あったいいことを、忘れないよう書いておきましょう。
時間をおいて読んでみたら、心がほっこりします。

感動した映画・本など

すてきな言葉

うっとりしたこと

感謝してること

おいしかったもの

笑ったこと

今月の私のここがエライ！

March

3月のおまけページ

バッグの中を整える

必要不可欠を知る人は慌てない

　長年愛用していたバッグの革の持ち手がついに切れてしまいました。速乾性の強力接着剤でくっつけて、リボンをグルグル巻いてみたけれど、やっぱり一ヶ月でギブアップ。お店に修理に出すにしろ、同じくらいの大きさのものがないと、日々の荷物が多い私は「今マジで困るー」です。

　で、近くのデパートのバッグ売り場に行ったけれど、うーん、取っ手が長めで肩に掛けられて、Ａ４のクリアファイルが入る大きさで、かつ手ごろな値段のもの皆無。諦めて、どこか別の

デパートへ……と思ったら、エスカレーター脇の服屋さんのディスプレースペースに私がイメージしていた通りのバッグがありました。紺のジャケットを羽織ったボディの肩に掛けられたクロームイエローのバッグ！

家に戻った私は鮮やかな黄色に元気をもらい、さっそく新しいバッグに必要なものを入れていきました。スマホ、キイケース、お財布はいつも通りですが、あとは用途別にポーチやケースに入れたら、とってもいい感じ。

あっ、病院に行く時用のクリアファイルと、仕事用のクリアファイルの中身もちゃんと「整えた」ので、とても安心。今月のモットーは「必要不可欠を知る人は慌てない」ということにいたしましょう。

Weekly to do	月 Monday	火 Tuesday	水 Wednesday
	1 赤口 エイプリル・フール	**2** 先勝	**3** 友引
	8 先勝	**9** 先負	**10** 仏滅
	15 先負	**16** 仏滅	**17** 大安
	22 仏滅	**23** 大安	**24** 赤口
	29 大安 昭和の日	**30** 赤口	

April

木 Thursday	金 Friday	土 Saturday	日 Sunday
4 先負	5 仏滅	6 大安	7 赤口
11 大安	12 赤口	13 先勝	14 友引
18 赤口	19 先勝	20 友引	21 先負
25 先勝	26 友引	27 先負	28 仏滅

2024

4月にしたいこと

欲しいもの、したいこと、行きたいところ。
月の初めに記しておきましょう。
そして月の終わりに、
できたかどうかを□にチェックしましょう。

自分との約束

□

暮らし

□
□
□

本

□
□
□

健康

□
□
□

映画・音楽・テレビ

□
□
□

もの

□
□
□

お店

□
□
□

イベント・旅

□
□
□

□
□
□

お礼・贈り物

□ ▶
□ ▶
□ ▶
□ ▶

April

時候のあいさつ

4月（卯月）は、旧暦で「卯の花」が
咲く時期であることに由来しています。春の明るさと
新年度のフレッシュさが表現できるといいですね。

	上旬 →					← 下旬
書き出し	花の便りが各地から聞かれる頃となりました	真新しいランドセルの一年生の姿が微笑ましく目に映る、今日この頃です	桜の花びらが風に舞い、春たけなわといった感じです	桜色のトンネルが、すっかり葉桜の緑色に変わりました	うららかな春日和が続いていますが、お元気でお過ごしでしょうか	大型連休も近づいてまいりましたが、いかがお過ごしでしょうか
結び	春爛漫の心地よい季節を、健やかにお過ごしください	新年度を迎えお忙しいことでしょうが、どうかお体を第一になさってください	春の陽気の中、近いうちにお目にかかれたら嬉しいです	気持ちのいいこの季節、健やかな日々をお過ごしください	新天地での、益々のご活躍をお祈りしております	こちらにお越しの際には、ぜひお立ち寄りください

4 第1週

1 月

2 火

3 水

4 木

5 金

6 土

7 日

April

4 第2週

8 月

9 火

10 水

11 木

12 金

13 土

14 日

2024

4 第 3 週

15 月

16 火

17 水

18 木

19 金

20 土

21 日

April

4 第 4 週

22 月

23 火

24 水

25 木

26 金

27 土

28 日

April

4 第 5 週

29 月 昭和の日

30 火

April

2024

4月にできたこと

月の終わりに、今月あったいいことを、忘れないよう書いておきましょう。
時間をおいて読んでみたら、心がほっこりします。

感動した映画・本など

すてきな言葉

うっとりしたこと

感謝してること

おいしかったもの

笑ったこと

今月の私のここがエライ！

April

2024

4月のおまけページ

気持ちを整える

言葉にすれば、自分の心が見えてくる

今さらながら、「いいこと日記」に記してきたことに助けられる機会が増えてきたと実感するこの頃です。このところの体調不良の原因がはっきりしないせいか、つい「よくない方向」に気持ちが引っ張られがちになっていました。

そんな状態が続いていたある日、「いいこと日記」のその日の欄にいつもよりやや大きな文字で「もう考え疲れた！」と書いていたのです。

そうしたら、すーっとラクになった。

もう疲れた！

そうか、ネガティブ思考の堂々巡りに疲れてたんだ！

「いいこと日記」だから、その手の言葉はあまり書くもんじゃないと、知らず知らずガマンしてたのかも。

「考え疲れた」のカミングアウトの自筆の文字を見た後、次に私が記した言葉は「もうちょっといい加減でもいいんじゃない？」でした。

健康的で有意義なことをするのも尊いけれど、時にあんまりためになるかどうかなんて考えず、ゆるくボーッとラクに過ごしてみるのもアリ。

自分の言葉で、気持ちが整いました。

無理に「いいこと」を探さなくても、とっても「いいこと」が目の前にあったことに気づいた瞬間でした。

Weekly to do	月 Monday	火 Tuesday	水 Wednesday
			1 先勝
	6 赤口 振替休日	7 先勝	8 仏滅
	13 先負	14 仏滅	15 大安
	20 仏滅	21 大安	22 赤口
	27 大安	28 赤口	29 先勝

May

木 Thursday	金 Friday	土 Saturday	日 Sunday
2 友引	3 先負 憲法記念日	4 仏滅 みどりの日	5 大安 こどもの日
9 大安	10 赤口	11 先勝	12 友引 母の日
16 赤口	17 先勝	18 友引	19 先負
23 先勝	24 友引	25 先負	26 仏滅
30 友引	31 先負		

2024

5月にしたいこと

欲しいもの、したいこと、行きたいところ。
月の初めに記しておきましょう。
そして月の終わりに、
できたかどうかを□にチェックしましょう。

自分との約束

□

暮らし

□
□
□

本

□
□
□

健康

□
□
□

映画・音楽・テレビ

□
□
□

もの

□
□
□

お店

□
□
□

イベント・旅

□
□
□

□
□
□

お礼・贈り物

□ ▶
□ ▶

□ ▶
□ ▶

May

時候のあいさつ

5月(皐月)は、ゴールデンウィークの楽しいイベントに始まり
新緑や花々と、時候のあいさつに使える表現には事欠きません。
さわやかで明るい描写を心がけましょう。

	上旬 →				← 下旬
書き出し	八十八夜も過ぎ、新茶のおいしい季節になりました	鯉のぼりが、元気に五月の空を泳いでいます	若葉の明るい緑が、目に鮮やかな今日この頃です	花屋の店頭に、色とりどりのカーネーションが並ぶ頃となりました	青田を渡るさわやかな風が、肌に心地よい季節になりました	木々の緑が、初夏を思わせる日ざしに輝く季節となりました
結び	季節の変わり目です。どうかご自愛ください	五月晴れの空のように、健やかにお過ごしください	すがすがしいこの季節、ぜひこちらにもお出かけください	過ごしやすい季節とはいえ、どうかご無理なさいませんように	身も心もリフレッシュして、お元気にお過ごしください	夏はもうすぐそこです。さらなる飛躍をお祈りしております

5 第1週

1 水

2 木

3 金 憲法記念日

4 土 みどりの日

5 日 こどもの日

2024

5 第2週

6 月 振替休日

7 火

8 水

9 木

10 金

11 土

12 日

May

5 第3週

13 月

14 火

15 水

16 木

17 金

18 土

19 日

May

2024

20 月

21 火

22 水

23 木

24 金

25 土

26 日

2024

5 第5週

27 月

28 火

29 水

30 木

31 金

2024

5月にできたこと

月の終わりに、今月あったいいことを、忘れないよう書いておきましょう。
時間をおいて読んでみたら、心がほっこりします。

感動した映画・本など

すてきな言葉

うっとりしたこと

感謝してること

おいしかったもの

笑ったこと

May

今月の私のここがエライ！

5月のおまけページ

庭やベランダを整える

緑のエネルギーに元気をもらいましょう

アジサイたちが、日に日に自分らしい色や形を主張して朝散歩の楽しみが増えていく季節になりました。

もちろん、この時期だから雨やどんより曇りの日も多いのでカーテンの隙間から陽差しが漏れている日は、いつも以上に早起きしてしまいます。

そんな時は、庭とも言えないささやかなスペースの鉢植えや木の周りを掃除して、ついでに水やりだけでなく伸びた枝を切ったり草取りを済ませてから、朝散歩に出かけます。

自分の小さな自然のテリトリーに手をかけた余裕もあってか、本格的な庭仕事をしているお宅のたたずまいもいつも以上に参考になるし、何より道々で出会う緑のエネルギーから元気をもらえます。

まあ、あまり早足になると若干息も切れがちなお年頃なのですが、家に戻って冷たい麦茶！と思った瞬間、やっぱりちょっと早足に（笑）。

麦茶も嬉しいご褒美ですが、その前に小さな我が庭が整っている様子を見られるのもご褒美になっているかな。

夕方は、ベランダのプランターを整えて……というのが、今年の後半戦に向けての私の新たな目標。もう、ここに書いちゃったから、実行あるのみですね。

Weekly to do	月 Monday	火 Tuesday	水 Wednesday
	3 赤口	4 先勝	5 友引
	10 先負	11 仏滅	12 大安
	17 仏滅	18 大安	19 赤口
	24 大安	25 赤口	26 先勝

June

木 Thursday	金 Friday	土 Saturday	日 Sunday
		1 仏滅	2 大安
6 大安	7 赤口	8 先勝	9 友引
13 赤口	14 先勝	15 友引	16 先負 父の日
20 先勝	21 友引 夏至	22 先負	23 仏滅
27 友引	28 先負	29 仏滅	30 大安

6月にしたいこと

欲しいもの、したいこと、行きたいところ。
月の初めに記しておきましょう。
そして月の終わりに、
できたかどうかを□にチェックしましょう。

自分との約束

□

暮らし

□
□
□

本

□
□
□

健康

□
□
□

映画・音楽・テレビ

□
□
□

もの

□
□
□

お店

□
□
□

イベント・旅

□
□
□

□
□
□

お礼・贈り物

□ ▶
□ ▶
□ ▶
□ ▶

June

時候のあいさつ

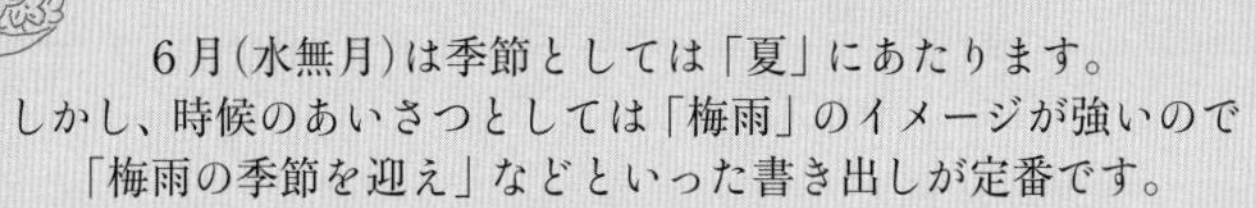

6月（水無月）は季節としては「夏」にあたります。
しかし、時候のあいさつとしては「梅雨」のイメージが強いので
「梅雨の季節を迎え」などといった書き出しが定番です。

	上旬					下旬
書き出し	衣替えとなり、学生たちの夏服姿がさわやかに映ります	そろそろ梅雨入りも近いようです	梅雨の季節を迎え、ぐずついたお天気が続いております	雨に濡れた紫陽花がひときわ鮮やかです	山々の緑も、雨に打たれて色濃くなりました	吹く風も次第に夏めいてまいりました
結び	天候不順の折、どうぞお体ご自愛ください	じめじめうっとうしい毎日が始まりますが、お元気でお過ごしください	長雨の季節でもありますので、体調を崩さないようお気をつけください	梅雨明けまでもう少し。どうぞお体大切になさってください	梅雨明けも間近です。どうかお元気でお過ごしください	向暑の折、いっそうご自愛くださいませ

6 第1週

1 土

2 日

June

3 月

4 火

5 水

6 木

7 金

8 土

9 日

2024

6 第 3 週

10 月

11 火

12 水

13 木

14 金

15 土

16 日

June

2024

6 第 4 週

17 月

18 火

19 水

20 木

21 金

22 土

23 日

June

24 月

25 火

26 水

27 木

28 金

29 土

30 日

6月にできたこと

月の終わりに、今月あったいいことを、忘れないよう書いておきましょう。
時間をおいて読んでみたら、心がほっこりします。

感動した映画・本など

すてきな言葉

うっとりしたこと

感謝してること

おいしかったもの

笑ったこと

今月の私のここがエライ！

June

6月のおまけページ

2024

ホテルみたいな朝食を整える

夜寝る前のラストに考えることは……

「考え疲れた！」宣言以来、少し気楽になれた最近の私なんですが、夜寝る前に「今日のもう済んでしまったあれこれ」や「明日起こるかもしれないあれこれ」のループにはまると、やはり疲れちゃう。とはいえ、なーんにも考えずに寝られるたちじゃないから、明日の朝イチに食べたいもののこと考えるのはどう？と自分に提案してみました。

理想は、やっぱりホテルみたいな朝食。で、何枚か持っているトレーを思い浮かべて、そこに配するお皿やカップをイメー

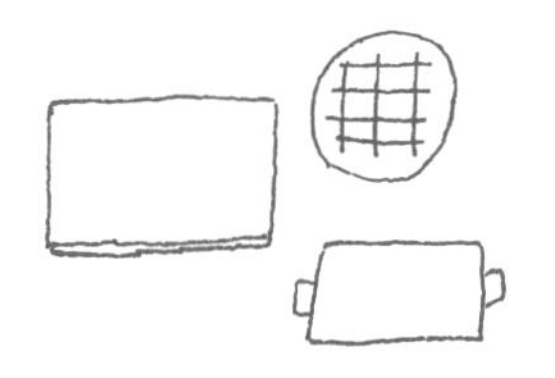

ジするわけです。その後も冷蔵庫の中の状態、まだキープできているので、卵？うんある、ハム？まだある、クロワッサン？確か４つ冷凍してある、と頭の中で確認できました。

ヨーグルトとブルーベリージャムもあるから、ほぼホテルテイストいけますねー。嬉しいし、楽しみ。

さて、翌朝。もうイメトレが済んでますから、自然にトレーと使うべきお皿をチョイスして、コーヒーメーカーもセットして……と迷いなく動けます。

コーヒーを飲みながら、１泊目（笑）の朝食の成功体験を踏まえ、今晩寝る前にも、また整った素敵な朝食セットをイメージしてみることにします。２泊目は、当然旅館の和食ご膳で行きましょう。冷蔵庫の脳内チェックが、今から楽しみです。

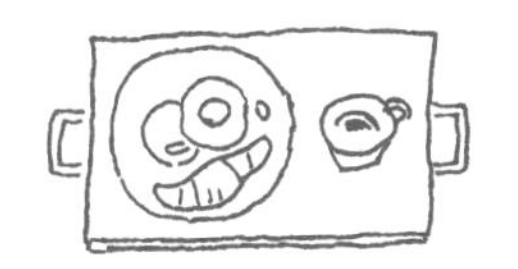

July

Weekly to do	月 Monday	火 Tuesday	水 Wednesday
	1 赤口	2 先勝	3 友引
	8 友引	9 先負	10 仏滅
	15 先負 海の日	16 仏滅	17 大安
	22 仏滅	23 大安	24 赤口
	29 大安	30 赤口	31 先勝

木 Thursday	金 Friday	土 Saturday	日 Sunday
4 先負	5 仏滅	6 赤口	7 先勝 七夕
11 大安	12 赤口	13 先勝	14 友引
18 赤口	19 先勝	20 友引	21 先負
25 先勝	26 友引	27 先負	28 仏滅

7月にしたいこと

欲しいもの、したいこと、行きたいところ。
月の初めに記しておきましょう。
そして月の終わりに、
できたかどうかを□にチェックしましょう。

自分との約束

□

暮らし

□
□
□

本

□
□
□

健康

□
□
□

映画・音楽・テレビ

□
□
□

もの

□
□
□

お店

□
□
□

イベント・旅

□
□
□

□
□
□

お礼・贈り物

□ ▶
□ ▶
□ ▶
□ ▶

時候のあいさつ

7月（文月）は梅雨が明け、夏本番へと向かいます。
海開きや七夕など夏の季節感を盛り込んでみてください。
なお暑中見舞いは7月6日の小暑の頃から
8月7日の立秋の頃までの間に出すご機嫌伺いです。

	上旬					下旬
書き出し	海開きや山開きのニュースに、夏の訪れを感じるこの頃です	長かった梅雨も明け、いよいよ本格的な夏の到来となりました	今年も朝顔市の時期がやってまいりました	七夕の短冊に願い事をしたのを、懐かしく思い出す今日この頃です	例年にない暑さが続いておりますが、いかがお過ごしでしょうか	土用の入りとなり、日ごとに暑さが増してまいりました
結び	ご家族の皆様お元気で、楽しい夏を満喫されますよう	これからが暑さの本番です。お体にはくれぐれもお気をつけください	夏風邪などひかぬよう、お体をおいといください	今年の夏も、たくさんのいい思い出を作ってくださいませ	暑さ厳しき折、一層ご自愛ください	夏バテなどなさらぬよう、暑さをおしのぎください

7 第1週

1 月

2 火

3 水

4 木

5 金

6 土

7 日

7 第 2 週

8 月

9 火

10 水

11 木

12 金

13 土

14 日

7 第3週

15 月 海の日

16 火

17 水

18 木

19 金

20 土

21 日

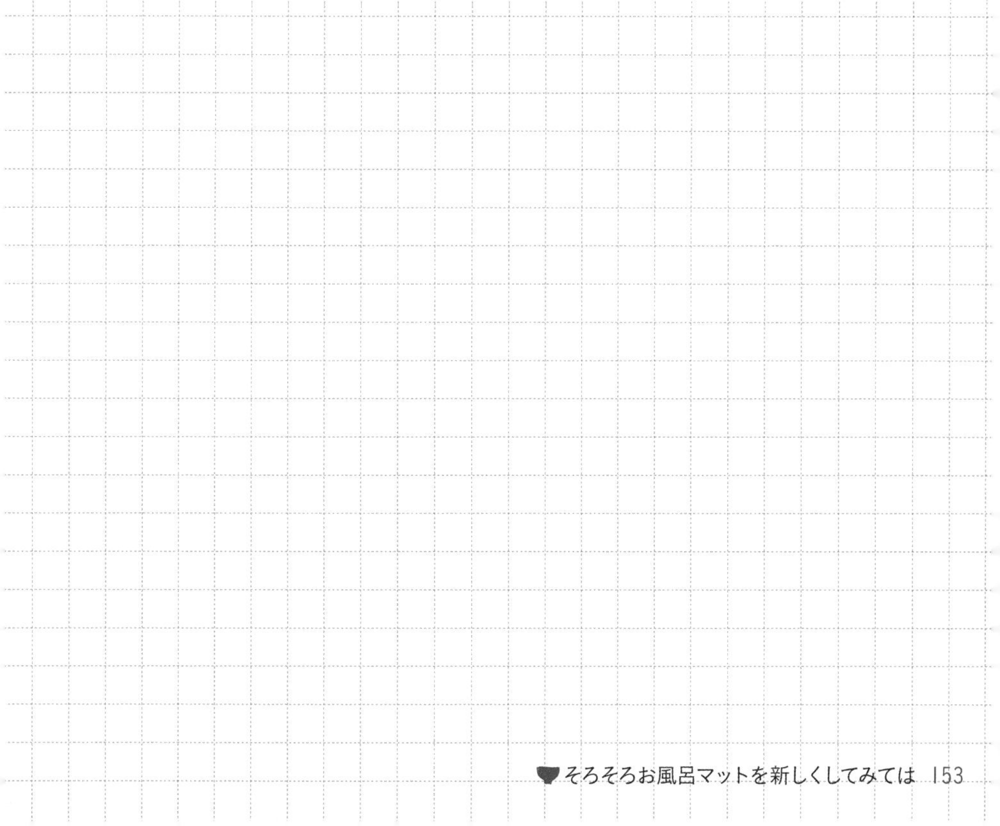

7 第 4 週

22 月

23 火

24 水

25 木

26 金

27 土

28 日

7 第 5 週

29 月

30 火

31 水

7月にできたこと

月の終わりに、今月あったいいことを、忘れないよう書いておきましょう。
時間をおいて読んでみたら、心がほっこりします。

感動した映画・本など

すてきな言葉

うっとりしたこと

感謝してること

おいしかったもの

笑ったこと

今月の私のここがエライ！

7月のおまけページ

音と香りを整える

夏の快適な部屋作りのコツ

早朝でさえ暑さが残っている日が続くこの頃です。

とりあえず、モノはこれ以上増やさないようにしてるし、掃除機もひんぱんにかけてます。寝具やカバー類だってまめに洗濯してるはずなのに、もうひとつ「爽やかさ」に欠ける空間なのはどうして？自分の家の中を、もう少し客観的に（厳しめに）眺めてみました。

すぐ気づいたのが、テレビの賑やかな音。あと各部屋固有の匂いかな。

特にテレビは、照明を点けるのと同じような感覚で無意識に電源オンにしていたので反省しきりです。とはいえ、何か家事を始めるためのモチベーションがあがる音が欲しい。

試しに、愛用のタブレットでＹｏｕＴｕｂｅの音楽を流してみることにしました。これがとってもいい！波の音が聴こえるカフェ風のＢＧＭや鳥の囀りまで入ったピアノ曲などなど。

充電ついでにリビングの壁際にタブレットを置く場所を作ってみました。すると、キッチンの片付けやトイレ、お風呂場などの拭き掃除も流れるようなリズムでできるようになり、当然特有の匂いもなくなり、家中がさっぱり爽快です。

こんなふうに音も香りも整った部屋で、ご褒美の「お昼寝」、最高に贅沢だと思いませんか？

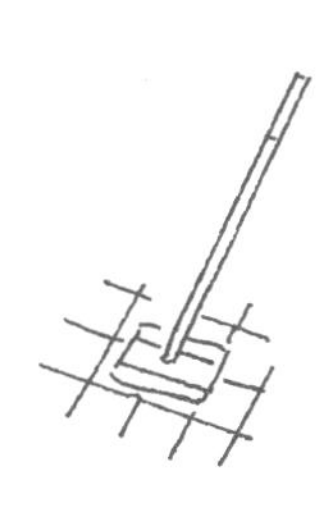

Weekly to do	月 Monday	火 Tuesday	水 Wednesday
	5 友引	6 先負	7 仏滅
	12 先負 振替休日	13 仏滅	14 大安
	19 仏滅	20 大安	21 赤口
	26 大安	27 赤口	28 先勝

木 Thursday	金 Friday	土 Saturday	日 Sunday
1 友引	2 先負	3 仏滅	4 先勝
8 大安	9 赤口	10 先勝	11 友引 山の日
15 赤口	16 先勝	17 友引	18 先負
22 先勝	23 友引	24 先負	25 仏滅
29 友引	30 先負	31 仏滅	

8月にしたいこと

欲しいもの、したいこと、行きたいところ。
月の初めに記しておきましょう。
そして月の終わりに、
できたかどうかを□にチェックしましょう。

自分との約束

□

August

暮らし

□
□
□

本

□
□
□

健康

□
□
□

映画・音楽・テレビ

□
□
□

もの

□
□
□

お店

□
□
□

イベント・旅

□
□
□

□
□
□

お礼・贈り物

□ ▶
□ ▶
□ ▶
□ ▶

時候のあいさつ

8月（葉月）は暦の上では7日に立秋を迎えますが、
実際には夏の真最中なので、暑さを表現する形になります。
お盆にまつわる行事や涼しさへの期待なども使われます。

上旬 → 下旬

	書き出し	結び
上旬	炎天下にヒマワリの花が、たくましく咲いています	夏の盛りですが、お元気でこの夏を乗り切られますように
	入道雲が盛夏の勢いそのままに、空に盛り上がっています	猛暑も今が峠です。どうぞご自愛くださいませ
	暦の上では立秋を迎えましたが、クーラーが大活躍する日が続いています	熱帯夜が続いています。夏負けに留意され健やかにお過ごしください
	帰省の折、久々に浴衣を着て盆踊りの輪に加わりました	残り少ない夏休み、ご家族の皆様で存分にお楽しみください
	お盆を過ぎ、朝夕は幾分しのぎやすくなってまいりました	夏のお疲れが出ませんように
下旬	空の青さに、秋の気配がうっすらと感じられる今日この頃です	皆様ご壮健にて、さわやかな秋をお迎えください

8 第1週

August

1 木

2 金

3 土

4 日

8 第 2 週

5 月

6 火

7 水

8 木

9 金

10 土

11 日 山の日

8 第 3 週

12 月 振替休日

13 火

14 水

15 木

16 金

17 土

18 日

2024

19 月

20 火

21 水

22 木

23 金

24 土

25 日

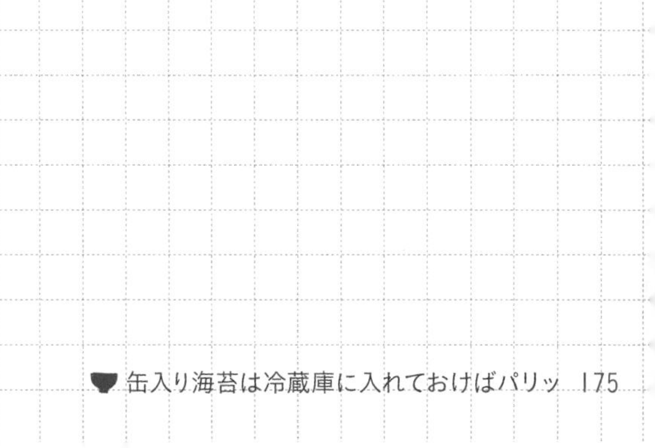

2024

8 第５週

August

26 月

27 火

28 水

29 木

30 金

31 土

8月にできたこと

月の終わりに、今月あったいいことを、忘れないよう書いておきましょう。
時間をおいて読んでみたら、心がほっこりします。

August

感動した映画・本など

すてきな言葉

うっとりしたこと

感謝してること

おいしかったもの

笑ったこと

今月の私のここがエライ！

8月のおまけページ

クローゼットを整える

おしゃれ仕切り直しの季節でーす

今年は、服の衝動買いをする自分にならないよう、極力努めてきました。夏は暑いし、何とかその目標を守れたんですけれど、秋物の新作シャツや薄手ニットのジャケットなどを見ると、やっぱり目にハートが。うーん、これはまずいぞ。

まあ、まだこのジャケットを着るには、しばらく時間があるから、まずは今回「視察」したということにして、これからの季節に向けてのおしゃれ仕切り直しのため、在庫チェックをしてみることにしました。

まだムーッとするようなクローゼット内、扇風機を回しつつ、秋物のかかっているハンガーラックや引き出しをオープン。すると、あら、目にハートの入った新作によく似たシャツを既に持ってました。

トホホと忘れてたことを嘆くより、ラッキー！買わなくて正解！という方向に気持ちを向けつつ、一気にクローゼット内を整える。

結論としては、薄手ニットジャケットは「買ってもよし」だけれど、まだ秋物は続々お店に出てくるはずなので、もうしばらく様子を見ようじゃないの、という余裕もできました。

おまけに、この夏で「お疲れさま」できる服も選べたから、今回の「視察」は大変よい結果をもたらしたのでした。

Weekly to do	月 Monday	火 Tuesday	水 Wednesday
	2 赤口	**3** 友引	**4** 先負
	9 友引	**10** 先負	**11** 仏滅
	16 先負 敬老の日	**17** 仏滅	**18** 大安
	23 振替休日 仏滅 **30** 大安	**24** 大安	**25** 赤口

September

木 Thursday	金 Friday	土 Saturday	日 Sunday
			1 大安
5 仏滅	**6** 大安	**7** 赤口	**8** 先勝
12 大安	**13** 赤口	**14** 先勝	**15** 友引
19 赤口	**20** 先勝	**21** 友引	**22** 先負 秋分の日
26 先勝	**27** 友引	**28** 先負	**29** 仏滅

2024

9月にしたいこと

欲しいもの、したいこと、行きたいところ。
月の初めに記しておきましょう。
そして月の終わりに、
できたかどうかを□にチェックしましょう。

自分との約束

□

暮らし

□
□
□

本

□
□
□

健康

□
□
□

映画・音楽・テレビ

□
□
□

もの

□
□
□

お店

□
□
□

イベント・旅

□
□
□

□
□
□

お礼・贈り物

□ ▶
□ ▶

□ ▶
□ ▶

September

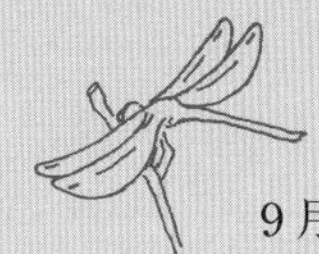

時候のあいさつ

9月(長月)は、夜が長くなっていく「夜長月」からついたもの。
上旬はまだ暑い日が多いので、体調を気遣う表現が適切です。
中旬以降は秋の風情を盛り込むといいでしょう。

上旬 ←→ 下旬

	書き出し	結び
1	九月になりましても、なお厳しい残暑が続いております	夏バテは秋に出ると申します。お体には十分ご留意ください
2	朝夕は、いくぶん過ごしやすくなりました	季節の変わり目、くれぐれもご無理なさいませんように
3	初秋の風にコスモスが揺れる季節になりました	さわやかな秋を満喫されますよう、お祈り申し上げます
4	鰯雲が浮かび、日に日に秋の色が濃くなってまいりました	秋の気配を感じつつ、お会いできる日を楽しみにしております
5	夕焼け空に赤とんぼが群れ飛ぶこの頃、すっかり秋ですね	秋風が心地よい季節、いっそうご活躍ください
6	実りの季節を迎え、食欲の秋もいよいよ本番です	皆様の秋が実り多きものとなりますよう、お祈り申し上げます

1 日

9 第2週

2 月

3 火

4 水

5 木

6 金

7 土

8 日

September

2024

9 月

10 火

11 水

12 木

13 金

14 土

15 日

16 月 敬老の日

17 火

18 水

19 木

20 金

21 土

22 日 秋分の日

2024

9 第 5 週

23 月 振替休日

24 火

25 水

26 木

27 金

28 土

29 日

September

30 月

★働けるのは嬉しい。休日はもっと嬉しい

9月にできたこと

月の終わりに、今月あったいいことを、忘れないよう書いておきましょう。
時間をおいて読んでみたら、心がほっこりします。

感動した映画・本など

すてきな言葉

うっとりしたこと

感謝してること

おいしかったもの

笑ったこと

今月の私のここがエライ！

2024

10 October

人付き合いを整える

何もかも分かり合えなくても友達でいられる

ドイツの児童文学者、エーリヒ・ケストナー著の『ふたりのロッテ』のお話をご存じでしょうか？演劇やアニメにもなっているので、何となく記憶があるという方も多いでしょう。

オーストリアの湖畔の「こどもの家」で、ウィーンから来たルイーゼとミュンヘンから来たロッテは、自分たちがあまりに似ていることから親しくなり、実は双子だったことが分かります。別々に育てられた理由を探るべく、入れ替わったふたり、あれこれ事件はあるけれど、最後は両親が再婚するというハッ

ピーエンドです。

なぜ、最初に懐かしいこの話をご紹介したかというと、親友とかソウルメイト願望の底に、ふたりのロッテ的な刷り込みがあるのかもしれないな、と思ったからです。

しかし、現実にはそこまで似ていて、何もかも分かり合える人に出会うことは少ないし、あまりにそんな気持ちが募ると、かえってしんどくなる。

私個人は、今友人と思っている相手のすべてを知らなくても十分だし、ロッテとルイーゼのように似ている必要はないと思っています。

人付き合いは、お互いに思いやる気持ちさえあれば、淡いくらいがちょうどいいのかもしれません。

Weekly to do	月 Monday	火 Tuesday	水 Wednesday
		1 赤口	**2** 先勝
	7 先勝	**8** 友引	**9** 先負
	14 友引 スポーツの日	**15** 先負	**16** 仏滅
	21 先負	**22** 仏滅	**23** 大安
	28 仏滅	**29** 大安	**30** 赤口

October

木 Thursday	金 Friday	土 Saturday	日 Sunday
3 先負	4 仏滅	5 大安	6 赤口
10 仏滅	11 大安	12 赤口	13 先勝
17 大安	18 赤口	19 先勝	20 友引
24 赤口	25 先勝	26 友引	27 先負
31 先勝 ハロウィン			

2024

10月にしたいこと

欲しいもの、したいこと、行きたいところ。
月の初めに記しておきましょう。
そして月の終わりに、
できたかどうかを□にチェックしましょう。

自分との約束

- □

暮らし

- □
- □
- □

本

- □
- □
- □

健康

- □
- □
- □

映画・音楽・テレビ

- □
- □
- □

もの

- □
- □
- □

お店

- □
- □
- □

イベント・旅

- □
- □
- □

- □
- □
- □

お礼・贈り物

- □ ▶
- □ ▶
- □ ▶
- □ ▶

October

時候のあいさつ

10月（神無月）は、出雲（島根県）に神様が集まり諸国には
いなくなることからつけられたとされています。この時期はお天気が良く
運動会や紅葉狩りなど、楽しいイベントも多いので反映させてみてください。

上旬 ⟷ 下旬

	書き出し	結び
上旬	澄み切った空の下、運動会のにぎやかな歓声が聞こえてきます	さわやかな秋の日々を、どうぞお健やかにお過ごしください
	秋晴れの日が続き、何をするにも心地よい季節です	行楽にスポーツにと秋を存分に楽しまれますように
	絶好の行楽日和が続いていますが、どちらかへお出かけになりましたか	晴れ渡った秋空のように、気持ちのよい日々をお過ごしください
	美しく色づき始めた紅葉に、秋の深まりを感じる今日この頃です	野山もすっかり秋の装いです。この素敵な季節を満喫してくださいませ
	日増しに秋が深まり、街路樹の葉も散り始めました	これから朝夕は冷えてまいりますので、お体にお気をつけください
下旬	秋風が冷たく、身にしみるようになってまいりました	季節の変わり目です。どうかお体を大切に

10 第1週

1 火

2 水

3 木

4 金

5 土

6 日

10 第2週

7 月

8 火

9 水

10 木

11 金

12 土

13 日

October

2024

10 第3週

14 月 スポーツの日

15 火

16 水

17 木

18 金

19 土

20 日

October

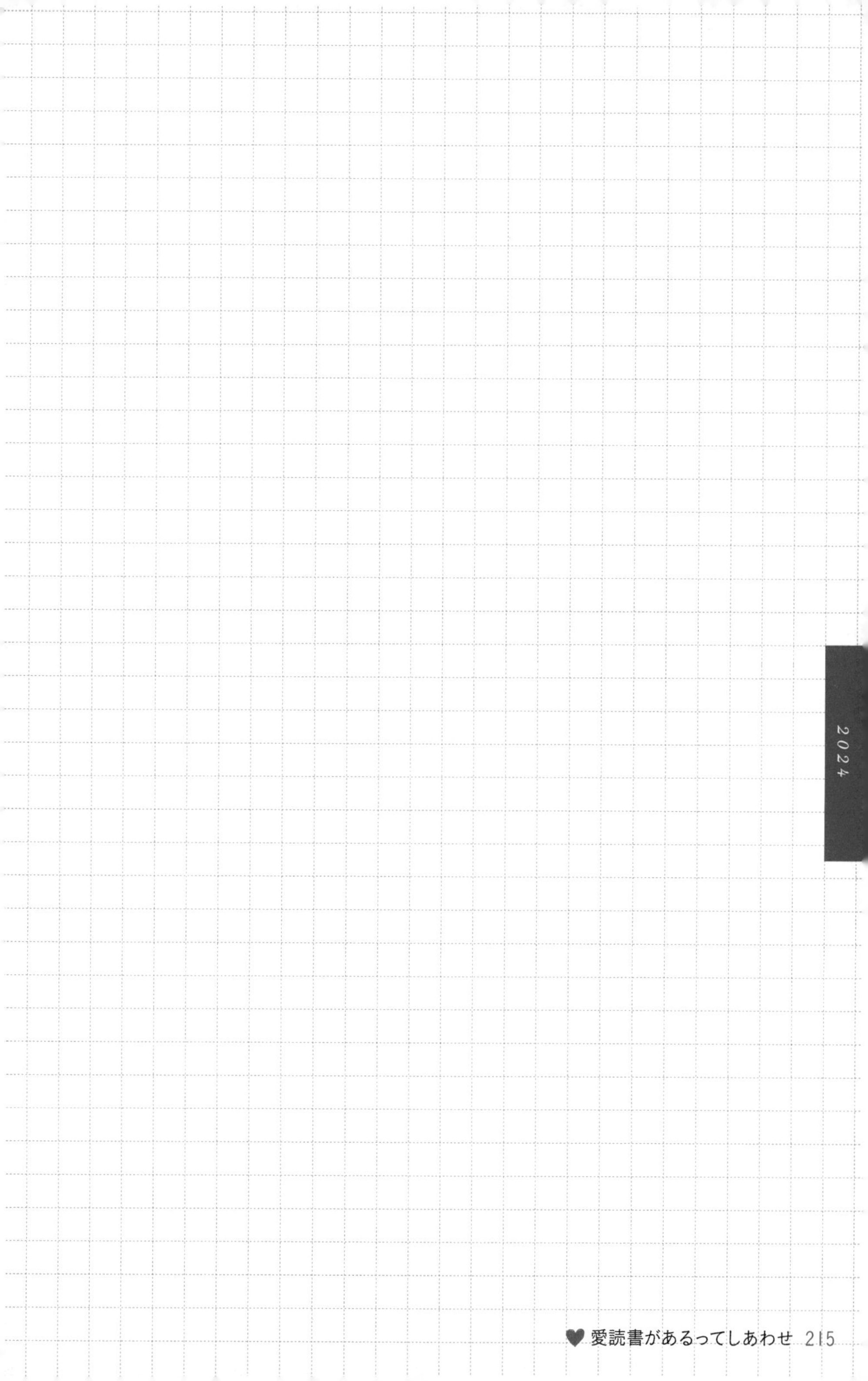
2024

21 月

22 火

23 水

24 木

25 金

26 土

27 日

2024

10 第 5 週

28 月

29 火

30 水

31 木

2024

10月にできたこと

月の終わりに、今月あったいいことを、忘れないよう書いておきましょう。
時間をおいて読んでみたら、心がほっこりします。

感動した映画・本など

すてきな言葉

うっとりしたこと

感謝してること

おいしかったもの

笑ったこと

今月の私のここがエライ！

10月のおまけページ

2024

11 November

ベッドまわりを整える

自分の眠りを大切にできる空間に

ベッドまわりを整えるのは、自分の眠りを整えることでもあります。加えて、起きている時にも、このプライベート空間が素敵かどうかがもたらすものは、とても大きい。

ホテルのような朝食も素敵！だけれど、それに勝るとも劣らないのが「ホテルのようなベッドまわり」じゃないでしょうか。

枕を新調しようとある専門店に出かけた時、ピローカバーに刺繍できることが分かりました。

おしゃれな書体が色々あって、イニシャルでもいいし、ちょ

っとしたメッセージも入れられるとのこと。見本を見せてもらったら、白地にネイビーの縁取りのカバーの真ん中にＧｏｏｄ ｍｏｒｎｉｎｇと書かれていて、テンションが一気にあがって「これと同じで」とお店の人にお願いしました。
「刺繍糸の色もたくさんありますから、ご覧になってください」と言われ、やや冷静になった私は、ふと考えました。
　Ｇｏｏｄ ｎｉｇｈｔもいいんじゃない？
　お店の人も「ゆっくりどうぞ」と言ってくれたので、しばし迷った末「Ｇｏｏｄ ｎｉｇｈｔでお願いします」。
　色はファーストインプレッション通り、白地にネイビー。
　枕の刺繍ができ上がるまでの間に、寝室そのものをきちんと整える気力がムクムクと湧いてきたのでした。

11

Weekly to do	月 Monday	火 Tuesday	水 Wednesday
	4 先勝 振替休日	5 友引	6 先負
	11 友引	12 先負	13 仏滅
	18 先負	19 仏滅	20 大安
	25 仏滅	26 大安	27 赤口

November

木 Thursday	金 Friday	土 Saturday	日 Sunday
	1 仏滅	**2** 大安	**3** 赤口 文化の日
7 仏滅	**8** 大安	**9** 赤口	**10** 先勝
14 大安	**15** 赤口	**16** 先勝	**17** 友引
21 赤口	**22** 先勝	**23** 友引 勤労感謝の日	**24** 先負
28 先勝	**29** 友引	**30** 先負	

11月にしたいこと

欲しいもの、したいこと、行きたいところ。
月の初めに記しておきましょう。
そして月の終わりに、
できたかどうかを□にチェックしましょう。

自分との約束

□

暮らし

□
□
□

本

□
□
□

健康

□
□
□

映画・音楽・テレビ

□
□
□

もの

□
□
□

お店

□
□
□

イベント・旅

□
□
□

□
□
□

お礼・贈り物

□ ▶
□ ▶
□ ▶
□ ▶

November

時候のあいさつ

11月（霜月）は、暦の上では上旬は晩秋ですが中旬からは初冬に入ります。
七五三や酉の市のにぎやかさや落葉、
冬に向かう気分などを表現してみてください。

上旬 ⟷ 下旬

	書き出し	結び
上旬	秋も深まり、だいぶ日が短くなってまいりました	秋冷の候、体調を崩されませんようご自愛ください
	近くの神社では、七五三の晴れ姿ではしゃぐ子供たちが見られます	秋晴れの日を、皆様お健やかにお過ごしください
	菊の香りが漂う季節になりましたが、いかがお過ごしでしょうか	くれぐれも夜寒にお気をつけくださいませ
	街路のいちょうも色づき、黄金色に輝いております	めっきり冷え込むようになりました。お風邪などひかれませんように
	北国からは雪の便りが届く今日この頃です	向寒の折、どうぞ温かくしてお過ごしください
下旬	陽だまりが恋しい季節になってまいりました	年の瀬に向けてお忙しい日々が続きますが、お元気でご活躍ください

11 第1週

1 金

2 土

3 日 文化の日

11 第2週

4 月 振替休日

5 火

6 水

7 木

8 金

9 土

10 日

2024

11 第3週

11 月

12 火

13 水

14 木

15 金

16 土

17 日

November

11 第 4 週

18 月

19 火

20 水

21 木

22 金

23 土 勤労感謝の日

24 日

November

2024

25 月

26 火

27 水

28 木

29 金

30 土

2024

11月にできたこと

月の終わりに、今月あったいいことを、忘れないよう書いておきましょう。
時間をおいて読んでみたら、心がほっこりします。

感動した映画・本など

すてきな言葉

うっとりしたこと

感謝してること

おいしかったもの

笑ったこと

今月の私のここがエライ！

November

2024

11月のおまけページ

2024

12 December

自分の生き方を整える

シングルタスクで幸せ体質に☆

もともと私は、マルチタスク的生き方をよしとしてきたように思います。例えば「ながら時間」といって一度に２つ以上のことを並行してやってみるというように。

同時に複数の処理を行うマルチタスクは、コンピュータ用語から生まれた、その代表と言えるかもしれません。

各月のエッセイで、体調を崩したことにも少し触れたのですが、長いことマルチタスク的生き方をしてきた自分がキャパオーバーに陥り、体調不良になったのは間違いないようです。

そこで、生き方をシングルタスクに切り替えようと思い立ちました。入院生活を経験したのも大きかったかな。例えば、

今は、久々に自力でシャワーを浴びている。

今は、足が衰えないよう院内の廊下を歩いている。

このようにひとつの作業に集中することが、シングルタスクの基本ですが、もちろんふと別のことが気になるのは人の常。

で、そんな雑念が湧いたら深呼吸して「今にもう一度集中」する。もし、忘れたら困る雑念レベルでない思いが浮かんだら、その時はメモだけしておきます。

退院後も、このシングルタスクで「今は、スープ用の野菜を切っている」「今は、曇った窓ガラスを綺麗にしている」というように行動できることに幸せを感じつつ、暮らしています。

12

Weekly to do	月 Monday	火 Tuesday	水 Wednesday
	2 赤口	3 先勝	4 友引
	9 先勝	10 友引	11 先負
	16 友引	17 先負	18 仏滅
	23 先負 / 30 仏滅	24 クリスマスイブ 仏滅 / 31 赤口	25 大安 クリスマス

木 Thursday	金 Friday	土 Saturday	日 Sunday
			1 大安
5 先負	6 仏滅	7 大安	8 赤口
12 仏滅	13 大安	14 赤口	15 先勝
19 大安	20 赤口	21 先勝	22 友引
26 赤口	27 先勝	28 友引	29 先負

12月にしたいこと

欲しいもの、したいこと、行きたいところ。
月の初めに記しておきましょう。
そして月の終わりに、
できたかどうかを□にチェックしましょう。

自分との約束

□

暮らし

□
□
□

本

□
□
□

健康

□
□
□

映画・音楽・テレビ

□
□
□

もの

□
□
□

お店

□
□
□

イベント・旅

□
□
□

□
□
□

お礼・贈り物

□ ▶
□ ▶
□ ▶
□ ▶

December

時候のあいさつ

12月(師走)は、お歳暮、クリスマス、大掃除など
バラエティ豊かながら慌ただしい月といえます。
1年の感謝の気持ちもこめられたあいさつ文になるといいですね。

	上旬					下旬
書き出し	今年のカレンダーも残り一枚となりました	師走の風の冷たさを実感する今日この頃です	クリスマスのイルミネーションが、美しい季節になりました	当地では雪のちらつくこともある昨今ですが、いかがお過ごしですか	年の瀬も押し迫り、慌ただしくなってまいりました	新しい年の準備にお忙しいことでしょう
結び	空気が乾燥しています。くれぐれもお風邪などめしませんように	気ぜわしい日々が続きますが、お体にお気をつけください	皆様で素敵なクリスマスをお楽しみください	一年の感謝をこめ、まずはごあいさつまで	今年も大変お世話になりました。 来年もよろしくお願いいたします	ご家族皆様お揃いで、よい年をお迎えください

12 第1週

1 日

December

2024

12 第2週

2 月

3 火

4 水

5 木

6 金

7 土

8 日

December

9 月

10 火

11 水

12 木

13 金

14 土

15 日

12 第4週

16 月

17 火

18 水

19 木

20 金

21 土

22 日

2024

12 第5週

23 月

24 火

25 水

26 木

27 金

28 土

29 日

December

2024

12 第 6 週

30 月

31 火

December

12月にできたこと

月の終わりに、今月あったいいことを、忘れないよう書いておきましょう。
時間をおいて読んでみたら、心がほっこりします。

感動した映画・本など

すてきな言葉

うっとりしたこと

感謝してること

おいしかったもの

笑ったこと

今月の私のここがエライ！

December

2024年のまとめ

2024

2024

2024年の
いいことランキング

1年の終わりに、今年の総括をしてみましょう。
あれこれ思い出してみるきっかけとして、今年の〈いいこと〉ベスト10を書き出してみて。
見るたびに、宝物のような日々がよみがえります。

1

2

3

4

5

6

7

8

9

10

2025

1

月	火	水	木	金	土	日
		1	2	3	4	5
6	7	8	9	10	11	12
13	14	15	16	17	18	19
20	21	22	23	24	25	26
27	28	29	30	31		

2

月	火	水	木	金	土	日
					1	2
3	4	5	6	7	8	9
10	11	12	13	14	15	16
17	18	19	20	21	22	23
24	25	26	27	28		

3

月	火	水	木	金	土	日
					1	2
3	4	5	6	7	8	9
10	11	12	13	14	15	16
17	18	19	20	21	22	23
24	25	26	27	28	29	30
31						

4

月	火	水	木	金	土	日
	1	2	3	4	5	6
7	8	9	10	11	12	13
14	15	16	17	18	19	20
21	22	23	24	25	26	27
28	29	30				

5

月	火	水	木	金	土	日
			1	2	3	4
5	6	7	8	9	10	11
12	13	14	15	16	17	18
19	20	21	22	23	24	25
26	27	28	29	30	31	

6

月	火	水	木	金	土	日
						1
2	3	4	5	6	7	8
9	10	11	12	13	14	15
16	17	18	19	20	21	22
23	24	25	26	27	28	29
30						

7

月	火	水	木	金	土	日
	1	2	3	4	5	6
7	8	9	10	11	12	13
14	15	16	17	18	19	20
21	22	23	24	25	26	27
28	29	30	31			

8

月	火	水	木	金	土	日
				1	2	3
4	5	6	7	8	9	10
11	12	13	14	15	16	17
18	19	20	21	22	23	24
25	26	27	28	29	30	31

9

月	火	水	木	金	土	日
1	2	3	4	5	6	7
8	9	10	11	12	13	14
15	16	17	18	19	20	21
22	23	24	25	26	27	28
29	30					

10

月	火	水	木	金	土	日
		1	2	3	4	5
6	7	8	9	10	11	12
13	14	15	16	17	18	19
20	21	22	23	24	25	26
27	28	29	30	31		

11

月	火	水	木	金	土	日
					1	2
3	4	5	6	7	8	9
10	11	12	13	14	15	16
17	18	19	20	21	22	23
24	25	26	27	28	29	30

12

月	火	水	木	金	土	日
1	2	3	4	5	6	7
8	9	10	11	12	13	14
15	16	17	18	19	20	21
22	23	24	25	26	27	28
29	30	31				

2025年の夢リスト

来年に向けて新しい夢が湧いてきたら、忘れないうちに書きとめておきましょう。

中山庸子（なかやまようこ）

群馬県生まれ。女子美術大学、セツ・モードセミナー卒業。県立女子高校の美術教師を経て、現在、エッセイスト、イラストレーターとして活躍中。自らの夢を実現した体験とその方法を綴ったエッセイ『夢ノート』シリーズで圧倒的支持を得て、以降、『「夢ノート」のつくりかた』をはじめ、『いいこと日記』『朝ノートの魔法』『書き込み式 わたしの取扱説明書ノート』など、数々の自分応援ノートのつくりかたを発表、いずれもロングセラーとなった。そのノート術に信頼が寄せられるノートマスター。

ホームページ
https://www.matsumoto-nakayama.com/

インスタグラム
https://www.instagram.com/matsumoto_nakayama_office

ツイッター
@iikoto_yoko

ブログ
http://www.matsumotonakayama-blog.com/

書き込み式
新 いいこと日記 2024年版

2023年10月6日　第一刷
2023年10月18日　第二刷

著者　中山庸子
デザイン　中山詳子、渡部敦人
イラスト　松本孝志、中山庸子
発行者　成瀬雅人
発行所　株式会社 原書房
〒160-0022　東京都新宿区新宿1-25-13
電話・代表　03-3354-0685
http://www.harashobo.co.jp/
振替・00150-6-151594
印刷・製本　シナノ印刷株式会社

ISBN 978-4-562-07345-0, printed in Japan